O LIVRO DOS APÓSTOLOS

Universo dos Livros Editora Ltda.
Avenida Ordem e Progresso, 157 – 8º andar – Conj. 803
CEP 01141-030 – Barra Funda – São Paulo/SP
Telefone/Fax: (11) 3392-3336
www.universodoslivros.com.br
e-mail: editor@universodoslivros.com.br
Siga-nos no Twitter: @univdoslivros

Volume 3

O LIVRO DOS
APÓSTOLOS

**Tiago, o Maior
Tomé
Filipe**

São Paulo
2020

Grupo Editorial
UNIVERSO DOS LIVROS

© 2020 by Universo dos Livros

Todos os direitos reservados e protegidos pela Lei 9.610 de 19/02/1998. Nenhuma parte deste livro, sem autorização prévia por escrito da editora, poderá ser reproduzida ou transmitida sejam quais forem os meios empregados: eletrônicos, mecânicos, fotográficos, gravação ou quaisquer outros.

Diretor editorial: Luis Matos
Gerente editorial: Marcia Batista
Assistentes editoriais: Letícia Nakamura e Raquel F. Abranches
Preparação: Ricardo Franzin
Revisão: Guilherme Summa
Arte: Valdinei Gomes
Capa: Vitor Martins
Imagem de capa: Leonardo da Vinci, *A Última Ceia*. Cópia do século XIX feita por um autor desconhecido no altar lateral na igreja Kostel Svatého Václava, em Praga. Shutterstock/Renata Sedmakova.

Dados Internacionais de Catalogação na Publicação (CIP)
Angélica Ilacqua CRB-8/7057

L761
    O livro dos Apóstolos – volume 3 : Tiago, o Maior; Tomé; Filipe / Universo dos livros. –– São Paulo : Universo dos Livros, 2020.
    32 p. (O livro dos Apóstolos ; vol. 3)

    Bibliografia
    ISBN 978-65-5609-017-7

    1. Apóstolos 2. Tiago, Maior, Apóstolo, Santo 3. Filipe, Apóstolo, Santo 4. Tomé, Apóstolo, Santo

20-4093   CDD 922.22

Introdução

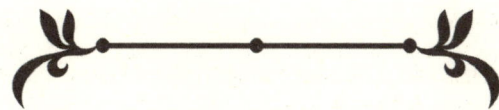

Sejam novamente bem-vindos a mais um volume desta coleção tão linda e significativa. Assim como nos dois anteriores, contaremos a história de três dos Doze Apóstolos de Jesus. Existem diversos relatos de estudiosos da religião a respeito dos Apóstolos, mas não há muitos registros documentais que provem tudo o que sabemos.

Como já mencionado nos dois primeiros volumes, o número de Apóstolos escolhidos por Jesus tem um significado. Por que doze? Porque estão relacionados à história de Israel no Antigo Testamento. Jesus pensava na nova Israel, que, assim como a antiga, tinha doze tribos e doze patriarcas, o que O fez decidir pelos novos doze apóstolos.

Para esclarecer a quem não tenha adquirido os volumes anteriores, abordemos mais uma vez a diferença entre discípulo e apóstolo.

Segundo o dicionário Aurélio, discípulo é "aquele que recebe ensino de alguém ou segue as ideias e doutrinas de outrem". Ou seja, o discípulo aprende algo com alguém. Já apóstolo, segundo o mesmo dicionário, define-se como: "1. Cada um dos 12 discípulos de Cristo. 2. Propagador de ideia ou doutrina". Ou seja, trata-se daquele que é enviado para ensinar algo.

Muitas pessoas são fascinadas pelas histórias desses homens escolhidos e conversas maravilhosas sobre o assunto são corriqueiras. Sempre alguém se identifica com um dos Apóstolos. E isso acontece por um motivo simples: todos os Apóstolos de Jesus eram pessoas comuns, assim como qualquer um de nós. Somente Ele os conhecia a fundo, com suas fraquezas ou suas virtudes. Assim, ao Mestre, não houve nenhuma dúvida quanto às suas escolhas. Ele procurava de fato pessoas comuns.

Então, se Jesus tinha a seu lado pessoas tão simples, algumas vezes sem estudo ou sem a própria educação familiar, por que nós não as pegamos como exemplo? Sejamos todos servos de Cristo em nossas bondades, virtudes e fraquezas.

INTRODUÇÃO

Os Apóstolos serviram como mensageiros das palavras e ensinamentos de seu Mestre. Como verdadeiros discípulos, aprenderam primeiro a orar e a servir uns aos outros, para só depois passarem adiante Seus ensinamentos. Exatamente como muitos de nós.

Já falamos nos dois primeiros volumes sobre Bartolomeu, sobre Tiago, o Menor, sobre André, Judas Iscariotes, Pedro e João. Agora, conheceremos mais profundamente Tiago, o Maior, Tomé e Filipe.

Tiago, o Maior

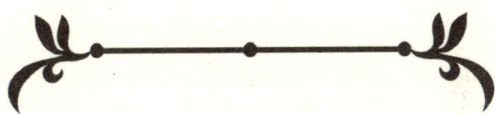

O mais velho dos filhos de Zebedeu e Salomé, diferencia-se pelo apelido "o Maior" do outro Tiago, o Menor, uma vez que seu irmão, João, também apóstolo, era o caçula, e raramente aparece sozinho nas narrações dos Evangelhos.

Por aparecer em narrações sempre após o apóstolo Pedro, podemos supor que exercia grande influência e se destacava em seu grupo. É fato que Tiago, Pedro e João estiveram presentes em importantes momentos ao lado do Mestre, como na ressuscitação de mortos e na Sua prisão no Jardim das Oliveiras.

Imagina-se que Zebedeu fosse bem-sucedido no seu negócio de pesca, o que lhe valia reputação importante, que se estendia da Galileia até Jerusalém. Talvez por isso Tiago tivesse um comportamento com tendências ambiciosas e intensas.

Por causa dessas características fervorosas e entusiastas, Jesus apelidou os irmãos de "filhos do trovão". No entanto, diferentemente de Pedro, que era chamado por seu apelido, "rocha", como uma forma de ajudar a moldar seu caráter, os irmãos receberam a alcunha para quando precisassem ser repreendidos por Jesus.

"Tiago, filho de Zebedeu, e João, seu irmão, aos quais pôs o nome de Boanerges, que quer dizer Filhos do Trovão" (Marcos 3:17).

> Aproximando-se o tempo em que Jesus devia ser arrebatado deste mundo, ele resolveu dirigir-se a Jerusalém.
> Enviou diante de si mensageiros que, tendo partido, entraram em uma povoação dos samaritanos para lhe arranjar pousada.
> Mas não o receberam, por ele dar mostras de que ia para Jerusalém.
> Vendo isso, Tiago e João disseram: "Senhor, queres que mandemos que desça fogo do céu e os consuma?"

Jesus voltou-se e repreendeu-os severamente. ["Não sabeis de que espírito sois animados.
O Filho do Homem não veio para perder as vidas dos homens, mas para salvá-las."] Foram então para outra povoação (Lucas 9:51-56).

Jesus não gostou da proposta feita pelos irmãos, que para Ele continha um certo tom de arrogância. Era como se sugerissem que Jesus lhes concedesse o poder de pedir fogo do céu.

Aliás, a arrogância é uma das piores características dos seres humanos, sendo comumente encontrada enrustida em muitos indivíduos. O que leva uma pessoa a achar que ela é melhor do que outra? Aliás, algumas têm certeza de que o são. Isso provavelmente é resultado da educação que receberam. Os pais acabam criando seus filhos com muito esmero, mas sem verdade e consciência, e eles crescem achando que têm todo esse poder.

Mas será que os irmãos Apóstolos foram criados assim? Ao que tudo indica, sim! Salomé, como já mencionado no capítulo dedicado a João, era uma das muitas mulheres que seguiam Jesus. Provavelmente, não oferecia apenas apoio financeiro e servia refeições, mas fazia o mais importante para uma mãe: mantinha-se ao lado dos seus filhos.

Assim, a mãe de Tiago e João sentia ter o direito de pedir algumas regalias a Jesus, e deste modo fazia com que os meninos criassem também certas ambições. Tanto que, em determinado momento, pediram ajuda à mãe para receber os tronos melhores, um de cada lado de Jesus.

> Respondeu Jesus: "Em verdade vos declaro: no dia da renovação do mundo, quando o Filho do Homem estiver sentado no trono da glória, vós, que me haveis seguido, estareis sentados em doze tronos para julgar as doze tribos de Israel.
> E todo aquele que por minha causa deixar irmãos, irmãs, pai, mãe, mulher, filhos, terras ou casa receberá o cêntuplo e possuirá vida eterna.
> Muitos dos primeiros serão os últimos e muitos dos últimos serão os primeiros." (Mateus 19:28-30).

Essa atitude dos irmãos gerou bastante desconforto junto aos outros Apóstolos, que não viam razão para eles receberem tal privilégio.

"De fato, bebereis meu cálice. Quanto, porém, a sentar-vos à minha direita ou à minha esquerda, isso não depende de mim vo-lo conceder. Esses lugares cabem àqueles aos quais meu Pai os reservou." (Mateus 20:23).

As Escrituras relatam um momento em que Tiago aparece, enfim, sozinho. Foi ele o primeiro a ser morto por causa de sua fé, quando Herodes aparece para deter a Igreja, no ano 44 d.C.

> Por aquele mesmo tempo, o rei Herodes mandou prender alguns membros da Igreja para os maltratar. Assim foi que matou à espada Tiago, irmão de João. Vendo que isso agradava aos judeus, mandou prender Pedro. Eram então os dias dos pães sem fermento (Atos 12:1-3).

Antes de ser decapitado, encontramos alguns relatos de que Tiago acabou aprendendo as lições de que Cristo tanto falava. Teria demonstrado total zelo e amor ao homem que colocaria fim à sua vida, perdoando-o e dizendo: "A paz esteja convosco".

O corpo de "Santiago" teria sido transportado para Compostela, local que é até hoje atração para milhares de peregrinos ao redor do mundo, bem como um dos lugares dos quais Tiago é padroeiro (diz-se que, logo após ter recebido o Espírito Santo no dia de Pentecostes, teria ido anunciar o Evangelho na Espanha).

Comemora-se sua data em 25 de julho.

ORAÇÃO A SÃO TIAGO

Ó São Tiago, Apóstolo de Jesus Cristo, concedei-me a vossa coragem de, resolutamente, deixar tudo e seguir ao chamado do Mestre. Verdadeiramente, eu só serei convertido de Jesus Cristo quando fizer Dele o meu único Senhor, aquele que manda, aquele a quem eu, sempre e em tudo, hei de servir.

No entanto, entre os 12 Apóstolos, vós não fostes um qualquer, mas amigo íntimo, participando com Pedro e João das ocasiões especiais, fosse nas alturas do Tabor ou no Jardim das Oliveiras.

Também eu quero ser íntimo de Jesus, pois continuamente Ele me repete: Permanecei em mim e eu permanecerei em vós.

Sem mim nada podeis fazer. Vós sois meus amigos, se fizerdes o que vos mando.

Tiago, como é belo ser apóstolo!

Mas, também, como isto é difícil! Vinde me ajudar!

TOMÉ

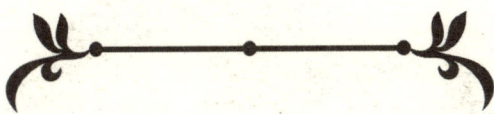

Quem nunca ouviu a expressão (quem sabe, até já a usou): "Sou igual a São Tomé, só acredito vendo"?
Segundo a tradição popular, esse Apóstolo era reconhecido por sua descrença. Entretanto, assim como ocorre com Natanael, existem pouquíssimos relatos sobre ele nos Evangelhos.

Era também chamado de Dídimo, o que nos dá uma pista de que teria um irmão gêmeo, já que o termo se refere a algo que é formado por duas partes.

Embora Tomé seja usualmente visto como pessimista, também demonstrava muita coragem. Foi esta qualidade que se destacou quando Jesus soube da doença de Lázaro e decidiu voltar a Betânia para curá-lo. Pois, sim, Jesus sabia que poderia curá-lo. E sabia que tal enfermidade não o levaria a morte (pelo menos, não à morte propriamente dita, no sentido literal). Jesus sabia que o amigo havia "adormecido" e convocou Seus seguidores a acompanhá-Lo de volta a Jerusalém.

Os discípulos não podiam crer que o Mestre queria mesmo voltar ao lugar onde, todos sabiam, estavam os Seus maiores inimigos.

"Mestre" – responderam eles –, "há pouco os judeus te queriam apedrejar, e voltas para lá?".
Jesus respondeu: "Não são doze as horas do dia? Quem caminha de dia não tropeça, porque vê a luz deste mundo.
Mas quem anda de noite tropeça, porque lhe falta a luz."
Depois dessas palavras, ele acrescentou: "Lázaro, nosso amigo, dorme, mas vou despertá-lo."
Disseram-lhe os seus discípulos: "Senhor, ele dorme, há de sarar."
Jesus, entretanto, falara da sua morte, mas eles pensavam que falasse do sono como tal.
Então, Jesus lhes declarou abertamente: "Lázaro morreu. Alegro-me por vossa causa, por não ter estado lá, para que creiais. Mas vamos a ele."

A isso Tomé, chamado Dídimo, disse aos seus condiscípulos: "Vamos também nós, para morrermos com ele." (João 11:8-16).

Essa era a maneira de Tomé demonstrar seu apoio, mas já pensando na tragédia. Ele iria, e morreria junto. Era dramático, fiel e corajoso. Nunca era visto sem a presença de Cristo. Amava-O incondicionalmente, e preferia segui-Lo e morrer a Seu lado do que separar-se Dele.

Quando Jesus morre, todos os Apóstolos, exceto Tomé, estão juntos quando Ele reaparece.

Na tarde do mesmo dia, que era o primeiro da semana, os discípulos tinham fechado as portas do lugar onde se achavam, por medo dos judeus. Jesus veio e pôs-se no meio deles. Disse-lhes ele: "A paz esteja convosco!". Dito isso, mostrou-lhes as mãos e o lado. Os discípulos alegraram-se ao ver o Senhor.
Disse-lhes outra vez: "A paz esteja convosco! Como o Pai me enviou, assim também eu vos envio a vós."
Depois dessas palavras, soprou sobre eles dizendo-lhes: "Recebei o Espírito Santo.
Àqueles a quem perdoardes os pecados, lhes serão perdoados; àqueles a quem os retiverdes, lhes serão retidos."
Tomé, um dos Doze, chamado Dídimo, não estava com eles quando veio Jesus (João 20:19-24).

Imaginem: um dos maiores adoradores de Cristo ouvindo de seus companheiros sobre o que acabara de acontecer, enquanto ele permanecia trancado sozinho, chorando, arrasado e sofrendo o luto da perda do Mestre.

> Oito dias depois, estavam os seus discípulos outra vez no mesmo lugar e Tomé com eles. Estando trancadas as portas, veio Jesus, pôs-se no meio deles e disse: "A paz esteja convosco!"
> Depois disse a Tomé: "Introduz aqui o teu dedo, e vê as minhas mãos. Põe a tua mão no meu lado. Não sejas incrédulo, mas homem de fé."
> Respondeu-lhe Tomé: "Meu Senhor e meu Deus!"
> Disse-lhe Jesus: "Creste, porque me viste. Felizes aqueles que creem sem ter visto!"
> Fez Jesus, na presença dos seus discípulos, ainda muitos outros milagres que não estão escritos neste livro.
> Mas estes foram escritos, para que creiais que Jesus é o Cristo, o Filho de Deus, e para que, crendo, tenhais a vida em seu nome (João 20:26-31).

E aí, sim, Tomé passou a levar o Evangelho às outras pessoas, mais especialmente na Índia (onde morreu, próximo a Madras), com certeza do que falava e com adoração e amor ao que viu e viveu ao lado de Jesus.

A mensagem que fica é de que nem sempre precisamos ver para crer. Às vezes, nosso instinto já nos diz o que fazer. Nem sempre existem provas concretas, como as que os Apóstolos tiveram ao rever Jesus.

Sua data comemorativa é 3 de julho.

ORAÇÃO A SÃO TOMÉ

Ó Senhor,

peço-Vos perdão por todas as vezes em que fui incrédulo e não permiti que Vossa mão poderosa guiasse minha vida. Agora, meu Jesus, pelo exemplo de São Tomé, ponho-me aos Vossos pés e clamo com todo o meu amor e devoção:

"Meu Senhor e meu Deus!"

São Tomé, rogai por mim, agora e sempre.

Amém.

FILIPE

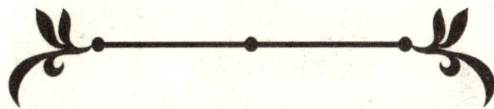

Primeiramente, não façamos confusão com São Filipe, o Evangelista, que evangelizava na Samaria (região montanhosa do Oriente Médio, constituída pelo antigo reino de Israel).

Filipe Apóstolo nasceu em Betsaida (assim como André e Pedro) e seu nome é apresentado nas Escrituras sempre em quinto lugar, depois dos quatro nomes dos Apóstolos do primeiro grupo. Entendemos, assim, que era ele o líder do segundo grupo de Apóstolos.

Apesar de judeu, carregava somente o nome árabe (que significa "aquele que gosta de cavalos"), provavelmente porque fazia parte de uma família de judeus helenistas. Trata-se de hipótese plausível, uma vez que a civilização grega havia se espalhado pelo Mediterrâneo depois das conquistas de Alexandre, o Grande, no século IV a.C.

É possível notar que Filipe tinha proximidade com os Apóstolos que, como ele, eram pescadores. "Estavam juntos Simão Pedro, Tomé (chamado Dídimo), Natanael (que era de Caná da Galileia), os filhos de Zebedeu e outros dois dos seus discípulos" (João 21:2). Os dois citados eram provavelmente Filipe e André.

Vê-se que era um grupo unido de Apóstolos. Diferentemente de Pedro, André, João e Tiago, que haviam encontrado Jesus por intermédio de João Batista, Filipe recebera diretamente do Mestre um pedido:

"No dia seguinte, tinha Jesus a intenção de dirigir-se à Galileia. Encontra Filipe e diz-lhe: 'Segue-me.'" (João 1:43).

Quem poderia imaginar que ele estava justamente buscando o Messias e havia sido encontrado? Foi diretamente contar ao seu fiel amigo:

"Filipe encontra Natanael e diz-lhe: 'Achamos aquele de quem Moisés escreveu na Lei e que os profetas anunciaram: é Jesus de Nazaré, filho de José.'" (João 1:45).

Filipe sempre mantinha os pés no chão e fazia tudo de forma prática. Tinha personalidade própria e muita fé. Assim, creu em Jesus sem hesitar, apesar de às vezes demonstrar certas inseguranças, como no episódio da comida para os cinco mil.

Depois disso, atravessou Jesus o lago da Galileia (que é o Tiberíades.)
Seguia-o uma grande multidão, porque via os milagres que fazia em benefício dos enfermos.
Jesus subiu a um monte e ali se sentou com seus discípulos.
Aproximava-se a Páscoa, festa dos judeus.
Jesus levantou os olhos sobre aquela grande multidão que vinha ter com ele e disse a Filipe: "Onde compraremos pão para que todos estes tenham o que comer?"
Falava assim para o experimentar, pois bem sabia o que havia de fazer.
Filipe respondeu-lhe: "Duzentos denários de pão não lhes bastam, para que cada um receba um pedaço."
Um dos seus discípulos, chamado André, irmão de Simão Pedro, disse-lhe:
"Está aqui um menino que tem cinco pães de cevada e dois peixes... mas que é isto para tanta gente?"
Disse Jesus: "Fazei-os assentar." Ora, havia naquele lugar muita relva. Sentaram-se aqueles homens em número de uns cinco mil.
Jesus tomou os pães e rendeu graças. Em seguida, distribui-os às pessoas que estavam sentadas e igualmente dos peixes lhes deu quanto queriam.
Estando eles saciados, disse aos discípulos: "Recolhei os pedaços que sobraram, para que nada se perca."
(João 6:1-12).

Apesar de Filipe já ter tido presenciado muitos milagres de Jesus, assim que foi questionado sobre como fazer para alimentar tanta gente, mostrou sua fraqueza. Em seu pensamento, só conseguia conceber que seria impossível fazer aquilo. Não era visionário, era calculista. Quando fez as contas, concluiu que não era possível, mas, com isso, colocou sua fé em segundo plano. Não creu no poder de Cristo.

Isso acontece com muitos de nós. Para Jesus, nada é impossível, por isso, Ele nos ensina a crer, a ter fé. Jamais podemos ter pensamentos negativos que desviem nossa imaginação do que de bom pode acontecer.

Sejamos positivos. Quando desejamos que algo de muito bom se realize, podemos fazer o seguinte exercício: fechar os olhos e imaginar nosso desejo concretizado, no lugar e com as pessoas que queremos que estejam sempre ao nosso lado. Isso, sim, atrairá o sucesso.

No entanto, Filipe usou, mais uma vez, de sua relutância, emitindo um comentário impensado mesmo depois de estar há anos ao lado de seu Mestre: na ocasião da Última Ceia, Jesus, já ciente do que Lhe aconteceria no dia seguinte, disse aos Apóstolos que não se preocupassem, pois saberiam o caminho do local para onde Ele iria. Houve, então, alguns questionamentos, mas o de Filipe demonstra maior incredulidade.

Disse-lhe Tomé: "Senhor, não sabemos para onde vais. Como podemos conhecer o caminho?"
Jesus lhe respondeu: "Eu sou o caminho, a verdade e a vida; ninguém vem ao Pai senão por mim.
Se me conhecêsseis, também certamente conheceríeis meu Pai; desde agora já o conheceis, pois o tendes visto."
Disse-lhe Filipe: "Senhor, mostra-nos o Pai e isso nos basta."
Respondeu Jesus: "Há tanto tempo que estou convosco e não me conheceste, Filipe! Aquele que me viu viu também o Pai. Como, pois, dizes: Mostra-nos o Pai...
Não credes que estou no Pai, e que o Pai está em mim? As palavras que vos digo não as digo de mim mesmo; mas o Pai, que permanece em mim, é que realiza as suas próprias obras.
Crede-me: estou no Pai, e o Pai em mim. Crede-o ao menos por causa dessas obras.
Em verdade, em verdade vos digo: aquele que crê em mim fará também as obras que eu faço, e fará ainda maiores do que estas, porque vou para junto do Pai.
E tudo o que pedirdes ao Pai em meu nome, vo-lo farei, para que o Pai seja glorificado no Filho.
Qualquer coisa que me pedirdes, em meu nome, vo-lo farei." (João 14:5-14).

Em vez de Jesus pensar que Filipe não serviria como um bom pregador, deu-lhe a chance, pois tinha certeza de que era essa fraqueza que o aperfeiçoaria.

E assim foi.

Filipe pregou na Palestina, na Grécia e na Ásia Menor, onde, ao que parece, foi apedrejado e crucificado no ano 80 d.C.

São Filipe tem simbolizados em seu escudo dois pães e uma cruz. Os pães lembram o comentário de Filipe para Jesus, diante da multidão para a qual o Mestre multiplicou os pães. A cruz lembra o seu martírio.

Sua data de celebração é dia 3 de maio.

ORAÇÃO A SÃO FILIPE

Ó Glorioso São Filipe, para quem o elogio nunca foi importante, nem mesmo a estima dos homens, fazei com que o meu Senhor e Salvador conceda também a mim esta virtude através da tua intercessão. Tão altivos são os meus pensamentos, tão desdenhosas as minhas palavras, tão ambiciosas as minhas obras. Pede para mim a humildade que tu tinhas, consegue-me o conhecimento da minha insignificância, para que possa regozijar-me quando for desprezado e sempre buscar ser grande unicamente aos olhos de meu Deus.

Amém!

BIBLIOGRAFIA

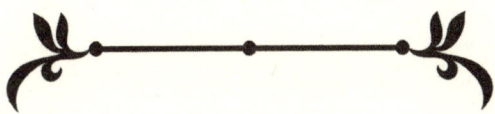

BÍBLIA SAGRADA. São Paulo: Ave-Maria, 2010. Edição Claretiana, revisada.

FERREIRA, A. B. H. *Minidicionário Aurélio*. Rio de Janeiro: Nova Fronteira, 1985.

MACARTHUR, J. *Doze homens extraordinariamente comuns*: como os apóstolos foram moldados para alcançar o sucesso em sua missão. Trad. Susana Klassen. 2. ed. Rio de Janeiro: Thomas Nelson Brasil, 2019.

Sites consultados:

DIVINO impressos. Disponível em: <blog.divinoimpressos.com.br/index.php/>. Acesso em: 23 out. 2020.

EM DEFESA da Fé Católica. Disponível em: <emdefesadaigrejacatolica.webnode.com//>. Acesso em: 23 out. 2020.

ENCONTRO com Cristo. Disponível em: <encontrocomcristo.com.br/>. Acesso em: 23 out. 2020.

LAMARTINE Posella. Disponível em: <youtube.com/lamartineposella>. Acesso em: 23 out. 2020.

RUMO da Fé. Disponível em: <rumodafe.com.br/>. Acesso em: 23 out. 2020.

SANTINHOZ. Disponível em: <santinhoz.com.br/santiaguinho-de-compostela/>. Acesso em: 23 out. 2020

SANTUÁRIO DAS ALMAS. Disponível em: <santuariodasalmas.com.br/noticia/>. Acesso em: 23 out. 2020.

VATICAN News. Disponível em: <vaticannews.va/pt/>. Acesso em: 23 out. 2020.